Martin est en colère

Pour Jacobo, Paloma, Segismon, Julia et le petit Pepe

Publié initialement au Royaume-Uni en 2008.
ISBN 978-1-4431-3423-1
Titre original : Marvin Gets Mad

Édition publiée par les Éditions Scholastic, 604, rue King Ouest, Toronto (Ontario) M5V 1E1 avec la permission de Bloomsbury Publishing Plc.

5 4 3 2 1   Imprimé en Chine CP156   14 15 16 17 18

Martin est en COLÈRE

Joseph Theobald

Texte français de Kévin Viala

Éditions SCHOLASTIC

Par une belle matinée ensoleillée, Martin et Margot trouvent un pommier chargé de grosses pommes juteuses.

Martin remarque une belle pomme. Il voudrait
bien la croquer. Mais il a beau sauter aussi
haut qu'il peut, il n'arrive pas à l'attraper.

Mais la pomme ne tombe pas...

et Martin finit par s'endormir.

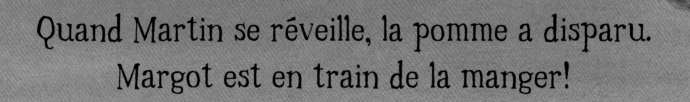

Quand Martin se réveille, la pomme a disparu.
Margot est en train de la manger!

– Je voulais cette pomme! s'écrie Martin.
– Excuse-moi, lui dit Margot, je ne savais pas.

Martin n'est pas content.

— Ne t'énerve pas, reprend Margot,
il y a plein d'autres pommes dans cet arbre.

— C'EST CETTE POMME QUE JE VOULAIS! crie Martin.

ET TU L'AS MANGÉE!

Martin devient si furieux que soudain
il lui pousse d'**HORRIBLES** dents,
de **TERRIBLES** cornes,
d'**ÉNORMES** pieds
et une queue **CROCHUE**.

JE VEUX

Mais il a beau sauter aussi haut qu'il peut,
il n'arrive pas à l'attraper.

MA POMME!

– Calme-toi, dit Margot.

– NON! hurle Martin en piétinant les fleurs.

Puis il renverse le poulailler,

il terrorise les canards,

et il mord la queue d'une vache.

Martin ne sait plus vraiment ce qu'il veut.
Il trépigne de rage et laisse échapper un terrible...

Alors que Martin tape des pieds de plus
en plus fort, la terre au-dessous de lui se met à trembler...
Et tout à coup...

Le sol se fend sous
ses pieds et l'engloutit.

Martin tombe... tombe...
et atterrit lourdement.
Le voilà seul au fond
d'un grand trou noir.

– BÊÊÊÊH! crie Martin.
Mais personne ne
peut l'entendre.

Il essaye de casser le mur,
mais ne réussit qu'à
se faire mal à la tête.

Martin est
vraiment tout seul.

Il ferme les yeux et se rappelle
la belle journée dans la prairie.
« J'aimerais bien que Margot soit là »,
pense-t-il. Petit à petit, sa colère s'apaise.

Quand Martin rouvre les yeux, Margot est là!
– Je suis désolé d'avoir piqué cette si grosse
colère, s'excuse Martin.
– Ce n'est pas grave, répond Margot.
Je suis venue te chercher. Je me doutais
bien que tu t'étais perdu. Et regarde, j'ai
trouvé une autre belle pomme juteuse pour toi!

– Merci! dit Martin.
Puis Margot montre à Martin
le chemin qui remonte à la prairie.

Tout est à nouveau parfait. Mais Martin
n'a plus envie d'une pomme...
Maintenant, il veut une poire!